Ravensburger Taschenbücher

Band 184

LINUS   SALLY   SCHRÖDER LUZIE

Charles M. Schulz

Charlie Braun und seine Freunde

62 Bildergeschichten von den weltberühmten „Peanuts" (= Erdnüssen)

ICH WILL NICHT NOCH EINE TOLL-WUTSPRITZE!

VICKY   CHARLIE BRAUN   SNOOPY

Otto Maier Verlag Ravensburg

Erste Auflage in den Ravensburger Taschenbüchern
Lizenzausgabe mit Genehmigung
des Aar-Verlages, D - 6071, Götzenhain

Für die Ravensburger Taschenbücher ausgewählt und
aus dem Amerikanischen übersetzt von Hanna Bautze
Originaltitel: „Peanuts" ®
Umschlagentwurf und Buchgestaltung von Christel Burggraf

Gesamtherstellung: Verlag und Druckerei G. J. Manz AG., Dillingen
Printed in Germany 1970
ISBN 3 473 39 184 0

CHARLIE BRAUN

glaubt, daß niemand ihn leiden kann und geht seinen Freunden mit dieser Meinung oft schrecklich auf die Nerven.

1

WAS MÖCHTEST DU AM LIEBSTEN SEIN, CHARLIE BRAUN... GLÜCKLICH?

O NEIN...

DAS ERWARTE ICH GAR NICHT...

ICH MÖCHTE NUR NICHT **UN**GLÜCKLICH SEIN!

4

SOLL ICH DIR ERZÄHLEN, WAS MEINE KLEINE SCHWESTER DROLLIGES GEMACHT HAT?

EHRLICH GESAGT, CHARLIE BRAUN, KANN ICH MIR NICHTS LANGWEILIGERES VORSTELLEN!

KEINE ANGST, ICH VERSUCHE NICHT, ES **DIR** ZU ERZÄHLEN!!

SCHULZ

5

WENN ICH DIR ETWAS ERZÄHLE, LUZIE, VERSPRICHST DU MIR, NICHT ZU LACHEN?

ICH VERSPRECHE ES.

ES IST ETWAS PERSÖNLICHES, UND ICH MÖCHTE NICHT, DASS DU LACHST...

ICH VERSPRECHE ES FEIERLICH!

MANCHMAL LIEGE ICH NACHTS WACH, UND WARTE AUF EINE STIMME, DIE RUFT: "WIR HABEN DICH GERN, CHARLIE BRAUN!"

HA HA HA HA

13

SALLY

**ist Charlie Brauns Schwester.
Sie ist klein, süß und ein
bißchen dumm.**

WENN DU HUNDEN UND BABIES NICHT MEHR TRAUEN KANNST, WEM DANN?

SCHULZ

15

OMA SAGT, ALS SIE KLEIN WAR HÄNGTE SIE AM HEILIGABEND IHREN STRUMPF AUF..

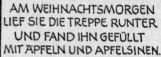

AM WEIHNACHTSMORGEN LIEF SIE DIE TREPPE RUNTER UND FAND IHN GEFÜLLT MIT ÄPFELN UND APFELSINEN...

ICH KANN ES MIR VORSTELLEN ...DREI ROSINEN !

SCHULZ

ICH BIN SO AUFGEREGT... ICH WAR NOCH NIE IN EINER BÜCHEREI...

ES WIRD DIR SCHON GEFALLEN, SALLY...

ICH FINDE, JEDER SOLLTE SEINE BIBLIOTHEKARIN KENNEN...

KENNEN? ICH KANN SIE NICHT MAL SEHEN!

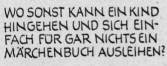

LUZIE

ist ein kleines Biest mit einer großen Klappe und einer scharfen Zunge — manchmal kann sie auch nett sein!

20

LUZIE...

JA, MUTTER?

DU HAST WIEDER DEINEN MANTEL AUF DEM FUSSBODEN LIEGEN LASSEN BITTE, HÄNGE IHN IN DEN SCHRANK!

!

ARBEITEN! ARBEITEN! ARBEITEN! ALLES, WAS ICH IN DIESEM HAUS TUE, IST ARBEITEN!

SCHULZ

22

TOLL, WAS, CHARLIE BRAUN?

ICH HABE DEN GANZEN MORGEN LAUB GESAMMELT...

ICH WETTE, MEIN BLÄTTERHAUFEN IST SO WEICH WIE EIN FEDERBETT!

23

WEISST DU WAS MIT DIR LOS IST?

DU REDEST ZU VIEL

PENG

MEINST DU DAS WIRKLICH?

FASS DIE BUNT-STIFTE NICHTAN!

MAMMI!

HAST DU FÜR DAS NEUE JAHR GUTE VORSÄTZE GEFASST, LUZIE?

WAS? WIESO? WAS IST SCHLECHT AN MIR? ICH MAG MICH, SO, WIE ICH BIN!

WARUM SOLL ICH MICH ÄNDERN? WAS BILDEST DU DIR EIN, CHARLIE BRAUN?!!

ICH BIN IN ORDNUNG! ICH BRAUCH MICH NICHT ZU BESSERN! WARUM SOLLTE ICH MICH ÄNDERN? WARUM? WIESO?

DU MEINE GÜTE!

28

JUNGE, KANN DAS MÄDCHEN TANZEN! DIE HAT PFEFFER! JAWOHL! SIE IST GROSSE KLASSE!

SCHADE, DASS SIE KEIN HUND IST...

SNOOPY

SCHULZ

30

ALS ICH LINUS DAS ERSTE MAL MIT DER BRILLE GESEHEN HABE, HÄTTE ICH WEINEN KÖNNEN...

ER TAT MIR SO LEID... ALS ER NACH HAUSE KAM, SAH ER AUS WIE EINE KLEINE EULE! ES BRACH MIR FAST DAS HERZ...

SEUFZ

ABER WENN DU IHM HIERVON ETWAS SAGST, SCHLAG ICH DICH ZUSAMMEN!!

SCHULZ

LINUS

hat seinen Daumen und eine Schmusedecke als Schutz und Trost sehr nötig — denn er ist Luzies kleiner Bruder.

31

ICH DARF EINE WOCHE LANG NICHT DRAUSSEN SPIELEN CHARLIE BRAUN...

WEIL MEIN ZEUGNIS SO SCHLECHT WAR...

O, WAS TUST DU DANN, LERNEN?

NEIN, FERNSEHEN!

WIE HAST DU BLOSS GEMERKT, DASS DU EINE BRILLE BRAUCHTEST?

NUN, MEINE AUGEN TRÄNTEN, WENN ICH LAS ODER KARTOFFELCHIPS ASS, UND DANN...

DU SIEHST MICH AN, ALS OB DAS KEINE WISSENSCHAFTLICHE ERKLÄRUNG WÄRE!

NUN JA, SIE HÄTTE SIE BEI DER KÄLTE NICHT DRAUSSEN AUFZUHÄNGEN BRAUCHEN!

SEI FROH, DASS MAMMI DEINE DECKE GEWASCHEN HAT!

WIE KONNTE SIE WISSEN, DASS SIE GEFRIEREN WÜRDE?

SCHULZ

WILLST DU DEINE DECKE DAS GANZE LEBEN LANG HERUMSCHLEPPEN?

SEI NICHT ALBERN...EINES TAGES WERDE ICH SIE WEGWERFEN WIE JETZT...

EINES TAGES!

IGITT!

ICH HABE ETWAS ENTDECKT...

WAS DENN?

EIN DAUMEN SCHMECKT AM BESTEN MIT ZIMMERTEMPERATUR!

41

DIESER ZUFRIEDENE GESICHTSAUSDRUCK...

HA! ICH HAB SIE!

ICH WERDE DIR DIE ZUFRIEDENHEIT SCHON AUSTREIBEN! ICH REISS DEINE DECKE IN FETZEN!

SCHRÖDER

spielt stundenlang auf seinem Kinderklavier. Er liebt Bach, Brahms und vor allem Beethoven — aber auf keinen Fall Luzie.

43

WARUM SIND DIE SCHULEN AN BEETHOVENS GEBURTSTAG NICHT GESCHLOSSEN?

WENN ER SO BERÜHMT IST, WARUM SIND DIE BANKEN NICHT GESCHLOSSEN, ODER DIE POSTÄMTER ODER DIE BÜCHEREIEN?

ICH WEISS ETWAS, DAS **NIEMALS** GESCHLOSSEN IST...

WAS DENN?

DEIN MUND!

SCHULZ

SCHRÖDER, FINDEST DU, DASS EIN HÜBSCHES MÄDCHEN WIE EINE MELODIE IST?

ICH WEISS NICHT...ICH KENNE KEIN HÜBSCHES MÄDCHEN!

DEIN BLÖDES KLAVIER SOLLEN DIE TERMITEN FRESSEN!

WARTE...ICH ZIEHE SIE AUF..

JETZT... HÖR MAL...

SCHÖN, NICHT?

DAS WAR „SCHLAF, KINDCHEN SCHLAF". ICH WOLLTE ES DIR MAL ZEIGEN!

SEHR HÜBSCH..

SEUFZ NIEMAND IST SO BEZAUBERND WIE EIN MUSIKER...

JETZT ODER NIE...

AHEM

WEISST DU, SCHRÖDER, HI HI HI ... WENN DU MÖCHTEST, HI HI HI... KOMM UND KÜSS MICH, HI HI HI ... ICH HÄTTE NICHTS DAGEGEN ...

HIMMEL

ICH MEINE, HI HI HI...WENN DU WIRKLICH MÖCHTEST, HI HI HI HI HI ...

SCHRÖDER, WAS IST PASSIERT?

ICH HÖRTE BEETHOVENS 3. SINFONIE... IM 2. SATZ IST EINE WUNDERVOLLE STELLE ... EINFACH WUNDERVOLL...

DA ÜBERLÄUFT ES MICH IMMER EISKALT...

SO HABE ICH MICH ERKÄLTET!

SNOOPY

**ist Charlie Brauns Hund.
Er führt aber durchaus
kein Hundeleben.**

49

51

WIE LÄSTIG!

FÜTTER DEN HUND!
FÜTTER DEN HUND!
FÜTTER DEN HUND!

TAG FÜR TAG...
WOCHE FÜR WOCHE...
JAHR FÜR JAHR...

UND NIEMALS BEKOMMT
MAN EINEN DANK DAFÜR...

HALLO, ICH HAB DIR WAS MIT- GEBRACHT!

NIMM DAS KINN HOCH ...

?

DAS IST EIN GLÖCKCHEN FÜR DEIN HALSBAND, SNOOPY.. ES WIRD DIR GUT STEHEN...

GEH MAL DAMIT... OB DU ES MAGST...

55

ABENDESSEN!

57

„DAS KÄNGURUH IST EIN TIER, DAS NUR IN AUSTRALIEN VORKOMMT."

SEI NICHT SO SICHER..

WAS MEINST DU DAMIT ?

DAS, WAS ICH SAGTE : SEI NICHT SO SICHER...

BWANG! BWANG! BWANG!

SCHULZ

DER GROSSE EISBÄR SCHREITET DURCH DEN SCHNEE!

ICH WETTE, **ECHTE** EISBÄREN FRIEREN NIE!

SCHULZ

HALLO, TIGER!

HE, SNOOPY... WIE GEHT'S?

TAG, SNOOPY!

O ENTSCHULDIGE...EINEN MOMENT...ICH HOLE SIE...

HIER! IST ES SO RICHTIG?

ICH VERGESSE IMMER DIE PETERSILIE!

62

NEIN, NICHT HEUTE ABEND!

SNIF

NA GUT, ABER ES IST SO LÄCHERLICH!

ANDERE HUNDE GEHEN NICHT HUCKEPACK ZU BETT!

Spannende Erzählungen

Band 160 Hans Baumann: Das gekränkte Krokodil
Band 166 Ilse Kleberger: Unsre Oma
Band 167 Denys Watkins-Pitchford: Die Wichtelreise

Indianer und Cowboys

Band 121 Frederik Hetmann: Von Cowboys, Tramps und
Desperados
Band 163 Fritz Steuben: Der Strahlende Stern
Band 175 Fritz Steuben: Ruf der Wälder

Detektivgeschichten

Band 169 Michel-Aimé Baudouy: Der Fall Carnac
Band 161 Wolfgang Ecke: Das Geheimnis der weißen Raben
Band 138 Roderic Jeffries: Peter kam nicht heim

Klassische Kinder- und Jugendbücher

Band 165 Carlo Collodi: Pinocchios Abenteuer
Band 171 Jack London: Der Ruf der Wildnis

Tierbücher

Band 168 Meindert de Jong: Komm heim, Candy
Band 146 Horst Stern: Mit Tieren per Du

Mädchenbücher

Band 145 Polly Hobson: Fünf Kugeln im Kamin
Band 162 Marilyn Sachs: Eine Freundin für Jenny
Band 150 Aimée Sommerfelt: Nennt mich nicht mehr Sofus!

Diese und viele andere Ravensburger Taschenbücher

 kann man   Prospekte
ansehen   kann man
anfassen   mitnehmen
lesen   Informationen
kaufen   bekommen

in Buchhandlungen, Spiel- und Schreibwarengeschäften